À PETITS PETONS

Sous la direction littéraire de
Céline Murcier

LE CIEL DÉGRINGOLE !

Une histoire contée par
Florence Desnouveaux
illustrée par
Anne-Lise Boutin

Didier Jeunesse

Il était une fois une petite chatte
qui s'appelait Chatounette.
Une nuit, elle a très faim.

Chatounette se précipite
au fond du potager, et se cache sous un gros chou
pour guetter la souris du petit trou.

Soudain, le vent se lève,
le chou frissonne
... et schloff !
une feuille du chou tombe sur la queue de Chatounette.

Chatounette se fige :
— *Ahhh ! Ma parole, le ciel dégringole !*
Sauve qui peut !

Chatounette se carapate dans la nuit.

Paga paga paga

Chatounette fonce droit devant elle.
Elle aperçoit Lapin, adossé contre un chêne.
Chatounette freine.

Hiiiiiiiiiii!

– Hé, Lapin, ne reste pas là !
– Pourquoi ? Je suis bien ici, répond Lapin.
– Mais... Le ciel dégringole !
Sauve qui peut !

Chatounette reprend sa course folle.

Paga paga paga

Lapin blêmit :
– Hé ! Chatounette, attends, je viens avec toi !

Tiki tiki tiki

Chatounette et Lapin se carapatent dans la nuit.
Ils traversent la prairie.

Renard est en train de s'étirer sur l'herbe.
Hiiiiiiiiiiii!

Chatounette et Lapin freinent.
Lapin dit :
— *Hé, Renard, ne reste pas là !*
— *Pourquoi ? Je suis bien ici,* répond Renard.
— *Mais... Le ciel dégringole !*
Sauve qui peut !

Chatounette et Lapin reprennent leur course folle.

Paga tiki

Paga tiki

Paga tiki

Renard verdit :
— *Attendez, je viens avec vous !*

Poco poco poco

Chatounette, Lapin et Renard
se carapatent dans la nuit.

Tous les trois bondissent dans le bois.
Ils croisent Louve, qui se prélasse sur un lit de feuilles.

Hiiiiiiiiiii!

Ils freinent.
Renard dit :
– *Louve, ne reste pas là !*
– *Pourquoi? Je suis bien ici, répond Louve.*
– *Mais... Le ciel dégringole !*
    Sauve qui peut !

Chatounette, Lapin et Renard déguerpissent.

Paga tiki poco
   Paga tiki poco
      Paga tiki poco

Louve pâlit :
– Attendez-moi, je viens avec vous !

     Téké téké téké

Chatounette, Lapin, Renard et Louve se carapatent dans la nuit.

Tout à coup, ils aperçoivent Ours au milieu du chemin.
Ils freinent, ils freinent.

Hiiiiiiiiiii!

Trop tard.

Ils s'aplatissent comme des crêpes contre le derrière d'Ours.

Ours les décolle les uns des autres.

Il demande :
– *Qu'est-ce qui vous affole ?*
– *Le ciel dé-grin-gole,*
répond Chatounette, tout estourbie.
– *Comment ça ?*
– *Demande à ma queue !*
– *Quoi ?!*

Chatounette raconte :
— *J'étais dans le potager, sous un chou, à guetter la souris du petit trou...*
quand schloff ! le ciel est tombé sur ma queue.

Ours lève la tête :
— *Regardez. Le ciel est toujours là-haut. Il n'est pas tombé.*

Chatounette, Lapin, Renard et Louve lèvent le museau.
Ils voient le ciel.
— *Mais alors, qu'est-ce qui est tombé sur ma queue ?* s'exclame Chatounette.

Ours répond :
– *Allons au potager !*

Ours, Louve, Renard, Lapin et Chatounette sortent du bois,
traversent la prairie,
passent sous le chêne
et entrent dans le potager.

Le soleil éclaire le fond du potager.

– Là...
j'étais sous ce chou,
dit Chatounette.

Tout le monde s'approche.
Ours ramasse une feuille au pied du chou.

Il dit :
– Ben...
   c'est ça qui vous affole ?!
      Une feuille de chou !

Chatounette, Lapin, Renard et Louve éclatent de rire.

Tiit tiit tiit
La souris rit dans son abri
Et mon conte est fini